desserts fruités

LAROUSSE

21 Rue du Montparnasse 75283 Paris cedex 06

Sommaire

POUR 6 PERSONNES

Préparation : 15 min
Cuisson : 35 min

750 g de cerises noires

6 œufs

120 g de sucre en poudre

25 cl de lait

100 g de farine

20 g de beurre

1 pincée de sel

clafoutis aux cerises

- Lavez soigneusement les cerises, épongez-les délicatement avec du papier absorbant, équeutez-les et dénoyautez-les.

- Préparez la pâte. Battez les œufs en omelette dans un saladier. Ajoutez 90 g de sucre et le sel. Mélangez intimement, puis incorporez le lait en filet.

- Versez la farine en pluie et mélangez bien jusqu'à obtenir une pâte lisse. Laissez reposer pendant 10 minutes.

- Préchauffez le four à 220 °C (therm. 7).

- Beurrez un moule à tarte à bords relativement hauts, déposez les cerises sur le fond. Versez la pâte par-dessus en veillant à laisser les cerises en place.

- Enfournez et laissez cuire 35 minutes. Sortez le clafoutis du four et laissez-le tiédir. Saupoudrez le dessus du reste de sucre.

- Servez tiède ou froid.

La recette authentique du clafoutis exige que les cerises ne soient pas dénoyautées. C'est plus savoureux, mais la dégustation est moins facile.

POUR 6 PERSONNES

Préparation : 30 min
Cuisson : 45 min environ
Réfrigération : 2 h

Tarte aux cerises

300 g de pâte brisée
ou un rouleau
de pâte préétalée

1 jaune d'œuf battu

700 g de cerises fraîches
(reverchon ou griotte) ou de
cerises en conserve

120 g de sucre en poudre

15 cl de crème fraîche liquide

10 cl de lait

3 petits œufs entiers

3 jaunes d'œufs

sucre glace

- Préparez la pâte brisée (recette p. 61) Beurrez un moule à tarte.

- Préchauffez le four à 180°C (therm. 6).

- Étalez la pâte au rouleau à pâtisserie sur le plan de travail pour obtenir un disque d'environ 30 cm de diamètre et 3 mm d'épaisseur. Garnissez le moule en pressant légèrement la pâte du bout des doigts sur le fond et les côtés ; découpez ensuite ce qui dépasse en passant le rouleau à pâtisserie sur l'arête du moule. Piquez le fond avec une fourchette, puis posez un disque de papier sulfurisé, recouvrez-le de légumes secs, enfournez et laissez cuire pendant 15 minutes. Sortez la tarte du four, retirez les légumes secs et le papier sulfurisé, puis, à l'aide d'un pinceau, badigeonnez le fond d'un jaune d'œuf battu et remettez au four pendant 5 minutes.

- Rincez les cerises. Séchez-les dans un torchon puis équeutez-les et dénoyautez-les avec un dénoyauteur, ou coupez-les délicatement en deux avec un couteau pour retirer le noyau. Mélangez le sucre, la crème, le lait, les œufs entiers et les 3 jaunes d'œufs dans un petit saladier et fouettez quelques instants pour que l'ensemble soit homogène.

- Garnissez le fond de tarte des cerises, versez la crème et enfournez. Laissez cuire 45 minutes, la surface doit être bien dorée et la crème, prise.

- Sortez la tarte du four, démoulez-la et laissez-la refroidir sur une grille avant de la mettre au réfrigérateur pendant 2 heures. Juste avant de servir, saupoudrez la tarte de sucre glace.

- Servez frais.

POUR 4 À 6 PERSONNES

Préparation : 20 min

Pas de cuisson

1,2 kg de cerises bien mûres
(soit 1 kg net)

15 cl de vin blanc sec

150 g de sucre en poudre

1 gousse de vanille

5 cl de kirsch

2 cuill. à soupe
d'amandes effilées

Compote de cerise au kirsch et aux amandes

- Rincez les cerises, essuyez-les, équeutez-les et dénoyautez-les. Cassez quelques noyaux et enfermez-les dans un petit carré de mousseline.

- Mélangez le vin blanc et le sucre dans une grande casserole, et chauffez doucement en remuant pour bien faire fondre le sucre.

- Ajoutez les cerises, la gousse de vanille fendue en deux et le petit nouet avec les noyaux. Portez à petite ébullition, et laissez cuire 10 minutes environ, en remuant délicatement de temps à autre.

- Retirez les cerises du sirop avec une écumoire et mettez-les dans un compotier. Poursuivez la cuisson du sirop à feu vif pendant 10 minutes environ pour le concentrer légèrement.

- Éteignez le feu, retirez le nouet de noyaux et la gousse de vanille après en avoir gratté l'intérieur pour conserver les graines dans le sirop. Ajoutez le kirsch et mélangez.

- Répartissez les amandes sur les cerises dans le compotier et nappez de sirop. Laissez refroidir puis mettez le tout au réfrigérateur.

- Servez frais.

POUR 6 TARTELETTES

Préparation : 30 min
Repos : 1 h
Cuisson : 15 min

250 g de pâte sablée
ou un rouleau
de pâte préétalée

300 g de fraises

60 g de sucre en poudre

130 g de beurre

6 feuilles de menthe fraîche

Délices aux fraises

- Préparez la pâte sablée (recette p. 74).

- Lavez rapidement les fraises, équeutez-les. Mettez-en la moitié dans un saladier avec le sucre et laissez-les macérer pendant environ 1 heure. Mettez l'autre moitié à égoutter sur du papier absorbant.

- Préchauffez le four à 190 °C (therm. 6).

- Farinez le rouleau et abaissez la pâte sablée sur 3 mm d'épaisseur et découpez 6 disques de pâte avec un emporte-pièce.

- Disposez ces disques dans les moules à tartelette beurrés. Piquez le fond de chacun d'eux avec une fourchette. Découpez 6 morceaux de papier sulfurisé, placez-les sur le fond avec quelques haricots secs pour éviter que la pâte ne boursoufle pendant la cuisson.

- Enfournez pendant 10 minutes.

- Mettez le beurre dans un saladier et, avec un fouet ou une fourchette, travaillez-le pour le ramollir.

- Égouttez les fraises macérées, passez-les au tamis et ajoutez-les au beurre. Mélangez jusqu'à ce que vous obteniez une crème bien homogène.

- Quand les tartelettes sont froides, démoulez-les délicatement et, avec une cuillère, répartissez la crème à la fraise dans chacune d'elles. Déposez les fraises fraîches par-dessus et décorez avec quelques feuilles de menthe.

POUR 6 PERSONNES

Préparation : 15 min
Pas de cuisson

3 oranges maltaises
600 g de fraises gariguettes
70 g de sucre en poudre
3 cl de Cointreau
glace pilée

Fraises à la maltaise

- Coupez les oranges en deux et, avec un petit couteau-scie ou une cuillère à pamplemousse, évidez-les et mettez la pulpe dans un saladier.

- Découpez un petit morceau d'écorce du fond des demi-oranges pour leur donner une assise stable, puis mettez-les sur un plat dans le réfrigérateur.

- Écrasez la pulpe et passez le jus.

- Mettez les fraises dans une passoire, passez-les rapidement sous l'eau, puis équeutez-les.

- Ajoutez le sucre et le Cointreau au jus d'orange. Arrosez-en les fraises et mettez-les au réfrigérateur.

- Au moment de servir, remplissez les demi-oranges de fraises. Répartissez de la glace pilée dans des coupelles individuelles et calez les fruits dessus.

- Servez aussitôt.

POUR 6 À 8 PERSONNES

Préparation : 45 min
Réfrigération : 5 ou 6 h
Pas de cuisson

500 g de fraises fraîches
ou surgelées

5 feuilles de gélatine

le jus de 1 citron

150 g de sucre en poudre

POUR LA CRÈME CHANTILLY

50 cl de crème fraîche liquide

50 g de sucre glace

Bavarois aux fraises

- Si vous utilisez des fruits surgelés, faites-les décongeler 2 ou 3 heures avant. Coupez les feuilles de gélatine en morceaux. Mettez-les à tremper.

- Rincez les fraises à l'eau, égouttez-les puis équeutez-les. Conservez quelques fruits entiers pour le décor et passez le reste au mixer avec le jus de citron pour le réduire en purée.

- Filtrez la purée en la passant à travers une passoire, puis versez-la dans une casserole. Ajoutez le sucre et chauffez à feu très doux en remuant.

- Égouttez les morceaux de gélatine. Incorporez-les à la purée de fruit tiède et mélangez bien jusqu'à ce qu'ils soient complètement fondus. Arrêtez le feu et laissez refroidir.

- Pendant ce temps, fouettez la crème en chantilly, en veillant à incorporer le sucre glace au dernier moment.

- Découpez un disque de papier sulfurisé du diamètre du moule et posez-le dans le fond. Mélangez délicatement la purée de fraise refroidie à la chantilly. Versez la préparation dans le moule et mettez au réfrigérateur 5 ou 6 heures.

- Glissez la lame d'un couteau le long des parois du moule pour décoller le bavarois et retournez-le sur un plat. Retirez le papier sulfurisé et décorez avec des fruits frais. Remettez au réfrigérateur jusqu'au moment de servir.

- Servez le bavarois bien frais, accompagné d'un coulis de fruit ou de crème Chantilly et de quelques fruits frais.

POUR 8 PERSONNES

Préparation : 20 min
Macération : 3 h
Cuisson : 20 à 30 min

1 kg de rhubarbe
250 g de sucre en poudre
300 g de fraises bien mûres

Rhubarbe aux fraises

- Lavez la rhubarbe sous l'eau froide puis pelez les tiges avec un couteau éplucheur et coupez-les en tronçons réguliers de 4 ou 5 cm. Mettez ceux-ci dans un saladier, couvrez-les de sucre et mélangez bien avec une cuillère en bois. Laissez macérer 3 heures en remuant de temps en temps avec une spatule.

- Versez le contenu du saladier dans une casserole en acier inoxydable. Faites cuire pendant 20 à 30 minutes à feu doux et laissez refroidir.

- Lavez, séchez, équeutez et coupez les fraises en deux. Versez la rhubarbe fondue dans un compotier et disposez les morceaux de fraises au centre.

- Servez ce dessert très frais.

Préparation : 15 min

Cuisson : 3 min

600 g de fraises

80 g de sucre en poudre

2 cuill. à soupe
de vinaigre balsamique

Fraises pochées au vinaigre balsamique

- Rincez rapidement les fraises à l'eau fraîche dans une passoire et égouttez-les bien. Équeutez-les et, selon leur taille, coupez-les en deux ou laissez-les entières.

- Faites chauffer doucement le sucre avec 10 cl d'eau dans une casserole en remuant jusqu'à ce qu'il soit complètement fondu, puis portez à ébullition et laissez cuire 2 minutes à feu doux pour obtenir un sirop léger (il épaissira en refroidissant).

- Ajoutez le vinaigre balsamique et mélangez bien. Laissez la casserole sur feu vif, ajoutez les fraises et donnez juste un bouillon. Retirez aussitôt du feu et laissez refroidir.

- Répartissez les fraises et leur sirop vinaigré dans des coupelles individuelles et mettez au réfrigérateur.

- Servez très frais, avec par exemple une boule de glace au fromage blanc.

Comme le melon et la pastèque, les fraises font partie des fruits qui permettent de préparer des desserts légers.

500 g de groseilles
rouges et blanches

50 g de framboises

150 g de sucre en poudre

2 dl de crème fraîche

Panaché de fruits rouges à la crème fouettée

- Lavez et égrappez les groseilles. Réservez-les.

- Mettez les framboises dans une casserole et faites-les chauffer à feu doux en les écrasant avec le dos d'une cuillère. Lorsque l'ébullition est atteinte, retirez du feu.

- Filtrez la compote de framboises ainsi obtenue. Pressez-la soigneusement à travers une passoire fine pour en recueillir le jus. Ajoutez le sucre en poudre.

- Mettez les groseilles dans un saladier et nappez-les de ce sirop alors qu'il est encore tiède. Laissez refroidir, puis mettez dans le réfrigérateur pendant 2 heures.

- Quelques instants avant de servir, fouettez la crème fraîche très froide.

- Répartissez les groseilles au jus de framboise dans des coupes en verre, nappez de crème fouettée et servez aussitôt.

Si vous utilisez des groseilles surgelées, prévoyez une heure de décongélation à température ambiante.

300 g de fraises

300 g de framboises

150 g de sucre en poudre

2 citrons

50 cl de crème fraîche liquide
très froide

Roedgroed

- Équeutez et lavez rapidement les fraises et les framboises. Faites-les cuire dans une casserole à fond épais pendant 10 minutes à feu doux. Réservez-en la moitié et passez le reste à la moulinette. Remettez le coulis obtenu dans la casserole et amenez à ébullition.

- Ajoutez alors le sucre et le jus des 2 citrons. Mélangez. Laissez cuire à feu doux pendant environ 15 minutes. Versez ce coulis dans une terrine et mettez au réfrigérateur pendant 2 heures.

- Mélangez les fruits réservés avec le coulis.

- Dans un saladier glacé, fouettez la crème liquide pour l'aérer.

- Répartissez les fruits dans six coupelles individuelles. Décorez chaque coupelle de zestes d'orange ou de citron confits et d'une cuillerée à soupe de crème fouettée.

Servez le reste de la crème dans un ramequin. Chacun en disposera à volonté.

1 kg de framboises
mûres mais fermes

1 citron vert

150 g de sucre en poudre

1 cuill. à café
de graines de coriandre
écrasées

10 cl de cognac

Compote de framboises au cognac

- Triez les framboises. Brossez le citron sous l'eau froide, prélevez la moitié du zeste et hachez-le ; exprimez le jus.

- Mettez le sucre, la coriandre, le zeste et le jus du citron dans une casserole avec 10 cl d'eau, chauffez doucement, en remuant avec une cuillère en bois pour faire fondre le sucre puis portez à ébullition. Écumez avec soin et laissez cuire à feu vif pendant 5 minutes environ, jusqu'à l'obtention d'un sirop épais.

- Ajoutez les framboises, remuez et redonnez un bouillon. Retirez du feu, versez le cognac et mélangez. Transvasez dans un compotier et laissez refroidir avant de mettre au réfrigérateur.

- Servez avec une crème Chantilly.

Vous pouvez présenter cette compote sous forme de petits flans en incorporant au sirop une feuille de gélatine préalablement trempée, avant d'ajouter les fruits. Faites refroidir dans des petits moules.

POUR 4 PERSONNES

Préparation : 10 min
Pas de cuisson

4 cuill. à soupe
de crème fraîche

4 petits pots de fontainebleau
en mousseline

500 g de framboises

sucre en poudre

Fontainebleau à la framboise

- Fouettez vivement la crème fraîche bien froide.
- Déballez les pots de fontainebleau et disposez-les dans les assiettes de service. Entourez-les de framboises fraîches.
- Déposez sur le dessus de chacun d'eux 1 cuillerée à soupe de crème fouettée et saupoudrez de sucre à volonté.

Les framboises peuvent être mélangées avec des fraises des bois. On peut aussi servir en même temps un pot de confiture de fruits rouges.

POUR 6 PERSONNES

Préparation : 15 min

Pas de cuisson

Congélation : 4 h

400 g de framboises

200 g de petites
fraises des bois

150 g de sucre glace

100 g de crème fraîche

12 coques de meringue
allongées

Meringues glacées à la framboise

- Réduisez en purée au mixer 300 g de framboises et toutes les fraises. Ajoutez le sucre glace et la crème fraîche sans la fouetter.

- Mettez cette préparation à congeler dans le compartiment à glace du réfrigérateur.

- Lorsque la glace est prise, découpez-la en 6 portions. Placez chaque portion de glace entre deux coques de meringue et pressez légèrement celles-ci pour les faire adhérer.

- Disposez les meringues glacées dans des caissettes en papier plissé.

- Décorez le tour des portions de glace avec le restant de framboises.

- Servez aussitôt.

Commandez à l'avance chez votre pâtissier des coques en meringue rectangulaires à fond plat, de 10 cm de long au maximum qui seront faciles à garnir. Prenez-les de préférence blanches, mais vous pouvez aussi les choisir roses.

POUR 4 PERSONNES

Préparation : 15 min
Cuisson : quelques secondes

3 kiwis

1 orange

1 pomelo

1 citron

2 cuill. à soupe de miel liquide

1 cuill. à soupe
d'amandes effilées

quelques feuilles
de menthe fraîche

salade de kiwis aux agrumes

- Pelez les kiwis et coupez-les en tranches fines. Pelez l'orange et le pomelo à vif, puis détachez les segments.

- Coupez le citron en deux et pressez-le pour en recueillir le jus. Versez-le dans un bol et mélangez avec le miel.

- Déposez les fruits dans un saladier, arrosez avec le mélange de miel et de jus de citron et gardez au frais jusqu'au moment de servir.

- Faites griller les amandes quelques secondes à sec dans une poêle bien chaude. Au moment de servir, parsemez-en la salade de fruits et décorez avec les feuilles de menthe.

Proposez avec cette salade de fruits une boule de glace à la vanille et quelques sablés.

5 ou 6 belles mangues
250 g de sucre en poudre
4 œufs
25 cl de lait
100 g de farine

Clafoutis de mangue

- Pelez les mangues, retirez leur noyau et coupez la pulpe en morceaux.

- Faites cuire ceux-ci dans une casserole d'eau pendant 15 minutes ; ajoutez 150 g de sucre et poursuivez la cuisson pendant encore 5 minutes.

- Cassez les œufs dans un saladier ; ajoutez le reste du sucre puis le lait. Remuez puis incorporez la farine.

- Préchauffez le four à 230 °C (therm. 7-8).

- Disposez les morceaux de mangue dans un plat allant au four et versez dessus le contenu du saladier.

- Abaissez la température du four à 200 °C (therm. 6-7). Mettez le plat au four et laissez cuire 20 minutes.

- Servez froid ou tiède.

6 jaunes d'œufs

120 g de sucre en poudre

20 g de fécule de maïs

3 mangues mûres

1 cuill. à soupe
d'eau de fleur d'oranger

le jus d'1 citron vert

2 cuill. à soupe
de lait de coco non sucré

80 g de noix de coco râpée

lait

Émincé de mangue à la crème mangue-coco

- Versez les jaunes d'œufs dans une terrine avec le sucre. Fouettez le mélange jusqu'à ce qu'il blanchisse. Incorporez délicatement la fécule de maïs.

- Pelez les mangues et retirez les noyaux. Passez la pulpe de 2 mangues au mixer.

- Taillez en tranches minces la chair de la mangue restante. Arrosez-la d'eau de fleur d'oranger et de jus de citron vert. Couvrez de film étirable et laissez macérer.

- Faites chauffer la pulpe de mangue mixée avec le lait de coco. Versez le mélange jaunes-sucre-fécule de maïs et la pulpe de mangue mixée dans une casserole à fond épais et mélangez au fouet.

- Faites cuire sans cesser de remuer sur feu très doux ou au bain-marie. Quand le mélange est bien épais, retirez du feu et ajoutez un peu de lait pour le diluer.

- Répartissez les tranches de mangue dans des assiettes de service, versez la crème tiède et saupoudrez de noix de coco râpée. Servez aussitôt.

Utilisez des mangues mûres, mais sans excès, pelez-les au couteau éplucheur et détachez la chair en lamelles perpendiculairement au noyau.

POUR 4 PERSONNES

Préparation : 15 min
Cuisson : 30 min
Réfrigération : 1 h

2 citrons

2 kg de mangues

50 g de sucre en poudre

cannelle

Compote de mangue

- Râpez le zeste de l'un des citrons. Pressez les 2 citrons.
- Coupez les mangues en deux, rejetez le noyau, prélevez la chair à la cuillère. Mettez-la dans une casserole avec le jus des citrons, le zeste, le sucre et 2 pincées de cannelle. Couvrez d'eau à hauteur. Portez à ébullition, écumez, baissez le feu et faites cuire pendant environ 30 minutes.
- Laissez refroidir, puis mettez pendant 1 heure au réfrigérateur.

Choisissez bien vos mangues. Elles doivent être colorées, parfumées, et moelleuses. Leur chair est orange et adhère à un très gros noyau aplati. Leur pulpe, fondante et sucrée, a un arrière-goût acidulé. Il existe de très nombreuses variétés de mangues. Certaines sont filandreuses et ont une saveur de citron, de banane ou de menthe.

12 abricots

8 tiges de lavande en fleur

4 cuill. à soupe
de miel de lavande

Papillotes d'abricot à la lavande

- Lavez et essuyez les abricots. Fendez-les en deux et ôtez le noyau.

- Préchauffez le four à 180 °C (therm. 6).

- Lavez les tiges de lavande. Réservez-en quatre pour le décor, détachez les fleurs des autres.

- Confectionnez quatre carrés de 30 cm de côté dans du papier sulfurisé. Disposez sur chacun d'eux 6 demi-abricots, face bombée sur le papier. Arrosez de miel et saupoudrez de fleurs de lavande. Fermez les papillotes, placez-les sur la plaque du four et enfournez. Faites cuire 10 minutes.

- Servez les papillotes tièdes, décorées d'un brin de lavande, en laissant chacun ouvrir la sienne.

POUR 4 À 6 PERSONNES

Préparation : 10 min
Cuisson : 20 min

600 g d'abricots
80 g de sucre en poudre

Compote d'abricots rôtis

- Préchauffez le four à 180 °C (therm. 6).
- Lavez, dénoyautez et coupez en deux les abricots.
- Rangez-les dans un plat à rôtir. Saupoudrez-les de sucre et faites-les cuire pendant 20 minutes au four.
- Dressez-les dans un compotier et laissez refroidir. Servez cette compote d'abricot tiède ou froide.

Vous pouvez servir cette compote soit avec une crème anglaise, soit avec une glace à la vanille et de la gelée de groseille. Accompagnez-la de petits sablés ou de galettes bretonnes.

Préparation : 15 min
Cuisson : 20 min

600 à 700 g d'abricots

25 cl de lait écrémé

2 bâtons de cannelle

2 gros œufs

6 cuill. à soupe
de sucre en poudre

Entremets aux abricots

- Lavez et essuyez les abricots. Ouvrez-les pour les dénoyauter, puis coupez-les en lamelles.
- Rangez les lamelles d'abricot dans un plat à revêtement anti-adhésif, en les disposant en rosace.
- Préchauffez le four à 160 °C (therm. 5-6).
- Versez le lait dans une casserole, faites-le chauffer jusqu'à l'ébullition. Ajoutez les bâtons de cannelle et laissez infuser 10 minutes.
- Cassez les œufs dans un bol, ajoutez le sucre en poudre et mélangez.
- Ôtez les bâtons de cannelle, versez le lait bouillant sur les œufs en fouettant légèrement. Recouvrez les abricots de ce mélange.
- Enfournez le plat 15 minutes, puis sortez-le et laissez reposer l'entremets 5 minutes avant de le servir.

Achetez toujours les bâtons de cannelle en petite quantité, car ils perdent vite leur arôme.

16 gros oreillons
d'abricot au sirop
(en conserve)

3 œufs

20 cl de crème fraîche

75 g de sucre en poudre

100 g d'amande en poudre

40 g d'amandes effilées

Gratin d'abricot aux amandes

- Préchauffez le four à 180 °C (therm. 6).

- Beurrez un plat à four ou quatre plats à gratin individuels. Égouttez avec soin les oreillons d'abricot en conserve et rangez-les bien serrés dans le plat.

- Cassez les œufs dans un petit saladier et battez-les en omelette avec une fourchette. Ajoutez la crème fraîche, le sucre, puis les amandes en poudre en fouettant jusqu'à ce que l'ensemble soit bien lisse.

- Versez ce mélange sur les abricots. Enfournez et faites cuire environ 20 minutes. Sortez du four, parsemez d'amandes effilées sur toute la surface.

- Servez tiède ou froid.

POUR 4 PERSONNES

Préparation : 10 min
Cuisson : 1 min
Réfrigération : 2 h

400 g d'airelles
fraîches ou surgelées

2 feuilles de gélatine

25 cl de bon vin rouge

4 cuill. à soupe
de sucre en poudre

1 pincée de cannelle

1 pincée de noix muscade

Aspics d'airelle au vin rouge

- Si les airelles sont surgelées, mettez-les à décongeler au réfrigérateur. Si vous utilisez des airelles fraîches, triez-les, rincez-les à l'eau puis égouttez-les bien. Faites tremper les feuilles de gélatine dans un bol d'eau froide.

- Versez le vin dans une casserole, ajoutez le sucre et chauffez doucement en remuant jusqu'à ce que celui-ci soit bien dissous. Portez à ébullition, ajoutez les airelles, la cannelle et la noix muscade, et faites cuire 1 minute.

- Sortez les airelles, égouttez-les bien et répartissez-les dans quatre petits moules.

- Laissez la casserole à feu doux. Égouttez bien la gélatine en la pressant entre vos doigts et mettez-la dans le vin chaud. Remuez jusqu'à ce qu'elle soit complètement fondue puis versez le vin sur les fruits. Laissez refroidir à température ambiante, puis faites prendre la gelée au réfrigérateur pendant 2 heures.

- Pour démouler, trempez quelques secondes les moules dans un bol d'eau très chaude puis retournez-les sur des petites assiettes.

- Servez très frais, avec, par exemple, une glace.

POUR 6 À 8 PERSONNES

Préparation : 45 min
Réfrigération : 6 à 8 h

Bavarois au cassis

500 g de cassis frais ou surgelé
5 feuilles de gélatine
170 g de sucre en poudre
50 cl de crème fraîche
50 g de sucre glace
beurre pour le plat

- Triez les grains de cassis et passez-les sous l'eau dans une passoire. Égouttez-les bien, puis écrasez-les au robot ou au moulin à légumes avec la grille fine. Passez-les enfin dans une passoire fine pour éliminer les grains. Si vous employez des fruits surgelés, faites-les décongeler à l'avance, puis écrasez-les.

- Mettez les feuilles de gélatine à tremper dans de l'eau fraîche pendant 15 minutes, puis égouttez-les soigneusement.

- Faites chauffer le quart de la pulpe de cassis avec le sucre, ajoutez-y la gélatine, mélangez bien. Versez ensuite dans le reste de la pulpe de cassis et mélangez de nouveau. Ajoutez alors la crème fraîche puis le sucre glace, en mélangeant bien.

- Beurrez un moule à manqué de 22 cm de diamètre et tapissez-le de papier sulfurisé. Versez-y la préparation et mettez au réfrigérateur pendant 6 à 8 heures.

- Pour démouler, plongez très rapidement le moule dans de l'eau tiède et retournez-le sur le plat de service.

Ce bavarois peut se faire avec d'autres fruits rouges, frais ou surgelés. Vous pouvez aussi l'agrémenter de grains de cassis à l'alcool. Dans ce cas, déposez une couche de crème, parsemez-la de grains de cassis, recommencez, et remplissez ainsi le moule.

POUR 4 PERSONNES

Préparation : 15 min
Cuisson : 10 à 15 min

400 g de baies rouges
au choix (cassis, groseilles,
framboises, etc.)

4 jaunes d'œufs

80 g de sucre en poudre

20 cl de crème fraîche liquide

beurre pour le moule

Gratin de baies rouges

- Préchauffez le four à 180 °C (therm. 6).

- Beurrez légèrement quatre poêlons ou un plat à gratin peu profond. Triez les baies, lavez-les et séchez-les. Répartissez-les dans les poêlons ou dans le plat.

- Mettez les jaunes d'œufs et le sucre dans un petit saladier et fouettez au fouet à main ou au fouet électrique jusqu'à ce que le mélange blanchisse. Placez ensuite le saladier dans une casserole d'eau maintenue à la limite de l'ébullition et continuez de fouetter en versant peu à peu la crème jusqu'à obtenir un mélange très épais : il doit couler comme un ruban entre les branches du fouet. Retirez le saladier de l'eau chaude.

- Recouvrez les fruits avec la crème et enfournez. Laissez cuire pendant 10 à 15 minutes, jusqu'à ce que la surface soit dorée.

- Servez à la sortie du four.

400 g de groseilles
fraîches ou surgelées

100 g de cassis
frais ou surgelé

200 g de mûres
fraîches ou surgelées

200 g de griottes
fraîches ou surgelées

200 g de framboises
fraîches ou surgelées

30 cl de jus de pomme

30 cl de jus de raisin

120 g de sucre en poudre

2 cuill. à soupe
de fécule de maïs

1 zeste de citron

soupe de baies rouges

- Si vous utilisez des fruits surgelés, laissez-les dégeler à température ambiante. Rincez les groseilles, le cassis, les mûres et les griottes à l'eau fraîche (les framboises ne se rincent pas) et épongez-les délicatement sur du papier absorbant. Triez les framboises et les mûres ; enlevez les fruits abîmés. Égrappez le cassis et les groseilles à l'aide d'une fourchette. Dénoyautez les griottes.

- Mettez le cassis et la moitié des groseilles dans un récipient haut et passez-les au mixer pour les réduire en purée.

- Versez cette purée dans une casserole. Ajoutez le jus de pomme, le jus de raisin et le sucre, puis portez à ébullition à feu doux sans cesser de remuer jusqu'à ce que le sucre soit complètement dissous.

- Délayez la fécule de maïs dans une demi-tasse d'eau froide et versez-la dans la casserole. Faites reprendre l'ébullition puis incorporez délicatement le reste des fruits et le zeste de citron.

- Laissez cuire à feu très doux pendant environ 5 minutes, en veillant à ce que les fruits ne s'écrasent pas.

- Retirez la casserole du feu, laissez tiédir un peu puis versez le mélange dans une grande coupe ou des coupelles individuelles. Mettez au réfrigérateur jusqu'au moment de servir.

- Servez ce dessert très frais accompagné de glace à la vanille, de crème fraîche ou de crème Chantilly.

POUR 4 PERSONNES

Préparation : 20 min
Macération : 1 h

4 petits melons bien mûrs
200 g de fraises
200 g de framboises
50 g de sucre en poudre
le jus de 1/2 citron

Melons en surprise aux fruits rouges

- Lavez les melons à l'eau froide, puis essuyez-les. Coupez légèrement leur base, sans entamer la chair, pour qu'ils soient stables. Rincez rapidement les fraises à l'eau fraîche, épongez-les sur du papier absorbant et équeutez-les. Triez les framboises.

- Coupez horizontalement le sommet de chaque melon de façon à obtenir des couvercles. Retirez les graines avec une cuillère. Creusez les melons : prélevez la pulpe avec une cuillère en veillant à ne pas entamer l'écorce. Mettez les morceaux dans un saladier.

- Ajoutez les fraises et les framboises, saupoudrez de sucre et mélangez délicatement pour ne pas écraser les fruits. Arrosez de jus de citron, couvrez et laissez macérer au réfrigérateur pendant 1 heure. Mettez également les melons évidés au frais.

- Posez les melons évidés sur un plat et remplissez-les avec le contenu du saladier, puis replacez les couvercles.

- Servez frais, mais non glacé, en dessert.

POUR 4 PERSONNES

Préparation : 20 min
Cuisson : 15 min
Réfrigération : 2 h

3 petits melons bien mûrs

4 tiges de menthe et quelques
feuilles pour le décor

4 cuill. à soupe
de sucre en poudre

50 cl d'eau

le jus de 2 citrons verts

Melons à la menthe

- Coupez les melons en quatre, retirez la peau et les graines. Détaillez la chair en cubes.

- Mettez-en la moitié dans une casserole avec la menthe, le sucre et l'eau. Portez à ébullition puis faites cuire à petits frémissements 15 minutes. Laissez refroidir.

- Retirez la menthe et mixez le contenu pour obtenir un coulis bien lisse. Ajoutez le jus des citrons verts et mélangez bien.

- Versez dans une grande coupe ou dans des coupelles individuelles, ajoutez le reste du melon et mettez au réfrigérateur 2 heures.

- Servez en décorant de quelques feuilles de menthe.

Préparation : 20 min
Cuisson : 25 à 30 min
Repos : 1 h

800 g de mûres
20 g de beurre
40 g de sucre en poudre
sel

POUR LA PÂTE SUCRÉE

210 g de farine
85 g de sucre glace
1 œuf entier
1/2 gousse de vanille
125 g de beurre
à température ambiante
25 g d'amandes en poudre
1 petite cuill. à café de sel

Tartelettes aux mûres

- Préparez la pâte sucrée. Tamisez séparément la farine et le sucre à l'aide de deux passoires posées sur des terrines. Cassez l'œuf dans un bol. Ouvrez la demi-gousse de vanille en deux et grattez les graines. Coupez le beurre en petits morceaux, mettez-le dans une terrine. Malaxez-le avec une cuillère en bois pour bien l'assouplir, puis ajoutez successivement le sucre glace, les amandes en poudre, le sel, les graines de vanille, l'œuf et, enfin, la farine, en tournant chaque fois jusqu'à ce que le nouvel ingrédient soit bien incorporé. Formez une boule et aplatissez-la entre vos mains. Enveloppez-la dans du film alimentaire et laissez-la reposer 1 heures au réfrigérateur (4 °C).

- Préchauffez le four à 200 °C (therm. 6-7).

- Lavez les mûres, triez-les puis équeutez-les.

- Sortez la pâte du réfrigérateur. Abaissez-la sur 3 mm d'épaisseur et garnissez-en 6 moules à tartelette beurrés. Piquez le fond à la fourchette et saupoudrez-le de sucre.

- Disposez les mûres dans les tartelettes en les serrant bien les unes contre les autres. Saupoudrez à nouveau de sucre. Enfournez pour 25 à 30 minutes.

- Sortez du four les tartelettes et laissez-les tiédir. Démoulez sur une grille.

- Servez les tartelettes tièdes ou froides.

POUR 4 PERSONNES

Préparation : 15 min
Cuisson : 30 min environ

1 cuill. à soupe
de miel toutes fleurs

600 g de myrtilles fraîches

POUR LA PÂTE

120 g de farine

40 g de cassonade

60 g de beurre

6 gouttes d'extrait de vanille

Crumble aux myrtilles

- Préparez la pâte. Mélangez la farine et la cassonade. Incorporez le beurre coupé en petits morceaux et mélangez du bout des doigts jusqu'à l'obtention d'une pâte granuleuse. Ajoutez l'extrait de vanille et émiettez à nouveau.

- Préchauffez le four à 180 °C (therm. 6).

- Faites chauffer le miel dans une petite casserole pendant 2 minutes, versez-le dans un plat à gratin, ajoutez les myrtilles et mélangez. Recouvrez les fruits avec la pâte à crumble et lissez le dessus avec le dos d'une cuillère.

- Placez le plat dans le four et faites cuire le crumble 25 à 30 minutes, jusqu'à ce qu'il soit bien doré.

- Servez le crumble dans le plat, chaud ou refroidi.

Le crumble, spécialité britannique aux pommes (« apple crumble »), se prépare également avec d'autres fruits (abricot, cerise, framboise, myrtille, poire, rhubarbe) ou même avec deux fruits associés. Vous pouvez le servir avec une boule de glace à la vanille.

2 cuill. à soupe de chapelure

500 g de myrtilles

10 cl de crème fraîche

100 g de sucre en poudre

2 œufs

sucre glace

beurre pour le moule

POUR LA PÂTE

200 g de farine

100 g de beurre
à température ambiante

25 g de sucre en poudre

1 œuf

sel

2 cuill. à soupe d'eau

Tarte aux myrtilles

- Préchauffez le four à 190 °C (therm. 6-7).

- Préparez la pâte. Versez la farine dans une terrine. Incorporez le beurre ramolli par petits morceaux et malaxez la pâte. Faites une fontaine et versez-y 25 g de sucre, 1 jaune d'œuf, 1 pincée de sel et 2 cuillerées à soupe d'eau. Mélangez ces ingrédients et pétrissez pendant 2 ou 3 minutes. Ramassez la pâte en boule et laissez-la reposer pendant 1 heure au frais.

- Abaissez la pâte sur 4 mm d'épaisseur et garnissez-en une tourtière beurrée. Piquez le fond à la fourchette, recouvrez de légumes secs et faites cuire à blanc pendant 10 minutes.

- Nettoyez rapidement les myrtilles sans les laver. Saupoudrez le fond de tarte de chapelure pour éviter qu'il ramollisse à la cuisson. Disposez les myrtilles par-dessus. Remettez au four pendant 10 minutes.

- Pendant ce temps, fouettez la crème fraîche, 100 g de sucre et 2 œufs entiers.

- Sortez la tarte du four. Versez doucement le mélange crème fraîche-sucre-œufs sur les fruits. Remettez la tarte au four et faites cuire pendant encore 15 minutes à 180 °C (therm. 6).

- Saupoudrez la surface de la tarte de sucre glace à la sortie du four. Attendez 15 minutes avant de la démouler.

- Servez refroidi.

POUR 4 PERSONNES

Préparation : 20 min
Cuisson : 1 ou 2 min

4 grosses pêches jaunes

6 jaunes d'œufs

80 g de sucre en poudre

15 cl de jus d'orange

1/2 cuill. à café
de cannelle en poudre

1 clou de girofle écrasé

beurre pour le plat

50 g d'amandes effilées

Gratin de pêche aux épices

- Plongez les pêches pendant 30 secondes dans une casserole d'eau bouillante, puis sortez-les délicatement avec une écumoire et mettez-les à rafraîchir dans un bain d'eau froide. Égouttez-les et pelez-les. Coupez-les en deux et retirez les noyaux.

- Mettez les jaunes d'œufs et le sucre dans un petit saladier et battez au fouet jusqu'à ce que le mélange blanchisse. Placez ensuite le saladier dans une casserole d'eau maintenue à la limite de l'ébullition et continuez de fouetter en versant peu à peu le jus d'orange : le mélange doit être très épais et il doit couler comme un ruban entre les branches du fouet. Ajoutez la cannelle et le clou de girofle écrasé, remuez encore et retirez le saladier de l'eau chaude.

- Préchauffez le gril du four et placez la grille à 20 cm de la résistance. Beurrez un plat à gratin ou quatre poêlons individuels en porcelaine à feu. Rangez les moitiés de pêche dans le plat sans qu'elles se chevauchent, nappez-les bien régulièrement de sauce et parsemez-les d'amandes effilées. Passez-les 1 ou 2 minutes sous le gril incandescent pour faire gratiner. Sortez du four dès que la surface commence à dorer.

12 pêches de vigne

1 citron

1 ou 2 belles tiges
de verveine fraîche

1 petit verre de vin rouge,
beaujolais de préférence

50 g de sucre en poudre

100 g de gelée de cassis

Marinade de pêches à la verveine

- Pelez soigneusement les pêches en les laissant entières, disposez-les dans un saladier. Couvrez d'eau à hauteur. Ajoutez le jus du citron.

- Faites bouillir 1 litre d'eau dans une casserole, puis retirez du feu. Incorporez-y la verveine, couvrez et laissez infuser au moins pendant 1 heure.

- Plongez ensuite les pêches dans cette casserole et ajoutez un peu de l'eau citronnée déjà utilisée, de sorte que les pêches soient juste recouvertes.

- Couvrez, mettez sur feu moyen, portez à ébullition et laissez frémir 1 minute. Retirez alors du feu et laissez refroidir.

- Dans une casserole, versez le vin rouge avec le sucre. Faites réduire de moitié sur feu doux, c'est-à-dire jusqu'à ce que vous obteniez un caramel assez léger.

- Retirez alors du feu et incorporez-y la gelée de cassis.

- Égouttez les pêches refroidies, dressez-les sur le plat de service et nappez-les de ce caramel au vin.

POUR 4 PERSONNES

Préparation : 10 min
Cuisson : quelques minutes

0,5 g de fleurs de lavande
séchées

4 belles pêches

30 g de beurre

30 g de sucre en poudre

Pêches poêlées à la lavande

- Hachez les fleurs de lavande séchées avec un petit couteau.
- Épluchez les pêches et coupez-les en deux, enlevez le noyau, puis recoupez les demi-pêches en deux.
- Faites fondre le beurre dans une poêle à revêtement antiadhésif, ajoutez les fruits, saupoudrez-les avec le sucre et faites-les rôtir rapidement à feu vif.
- Ajoutez la lavande hachée au dernier moment en la répartissant sur chaque demi-pêche. Puis disposez les fruits sur le plat de service et laissez-les refroidir.
- Servez frais.

Ces pêches poêlées seront délicieuses si vous les accompagnez avec des tranches de brioche.

POUR 4 PERSONNES

Préparation : 30 min
Macération : 1 h
Cuisson : 10 à 12 min

4 pêches

70 g de sucre en poudre

30 cl de vin de Bordeaux

8 morceaux de sucre

1 bâton de cannelle

Pêches
à la bordelaise

- Faites bouillir une grande casserole d'eau, plongez-y les pêches pendant 30 secondes, puis passez-les sous l'eau froide. Pelez ensuite les pêches, ouvrez-les en deux et dénoyautez-les. Mettez-les dans un saladier, saupoudrez-les de sucre et laissez-les macérer 1 heure.

- Versez le vin dans une autre casserole avec les morceaux de sucre et le bâton de cannelle, et faites-le bouillir.

- Faites cuire les pêches 10 à 12 minutes dans ce sirop, à feu doux.

- Égouttez-les et dressez-les dans une coupe en verre. Faites réduire le sirop de cuisson jusqu'à ce qu'il nappe bien la cuillère et versez-le sur les pêches. Laissez refroidir.

- Servez avec des petits-fours secs et de la glace à la vanille.

POUR 6 PERSONNES

Préparation : 25 min
Cuisson : 15 à 20 min environ

1,5 kg de coings

le jus de 2 citrons

40 cl de jus d'orange frais

160 g de sucre en poudre

1 orange non traitée

Compote de coing à l'orange

- Frottez les coings avec un linge humide pour ôter le fin duvet qui les recouvre et rincez-les à l'eau fraîche. Épluchez-les, coupez-les en quatre en retirant le cœur dur et les pépins, puis détaillez la chair en quartiers, en mettant ceux-ci au fur et à mesure dans un saladier d'eau additionnée de la moitié du jus de citron.

- Versez le jus d'orange dans une grande casserole, ajoutez le sucre et chauffez doucement en remuant jusqu'à ce que celui-ci soit complètement fondu. Taillez le zeste de l'orange en fines lanières. Plongez-les dans une casserole d'eau portée à ébullition. Ajoutez-y les quartiers de coing en veillant à bien les immerger car ils ont tendance à remonter à la surface. Laissez mijoter doucement 15 à 20 minutes ; les coings doivent être bien tendres sans se défaire.

- Prenez délicatement les quartiers de coing avec une écumoire en les égouttant bien, mettez-les dans un compotier et arrosez-les avec le reste du jus de citron. Laissez réduire légèrement le jus de cuisson à feu vif pour lui donner une consistance sirupeuse puis versez-le sur les fruits. Mettez au réfrigérateur jusqu'au moment de servir.

POUR 6 PERSONNES

Préparation : 15 min
Cuisson : 5 min environ

12 figues noires mûres à point

2 cuill. à soupe
d'eau de fleur d'oranger

4 jaunes d'œufs

100 g de sucre en poudre

15 cl de vin blanc doux

Figues en sabayon

- Rincez les figues à l'eau fraîche et séchez-les délicatement. Coupez-les en quatre et disposez les quartiers dans un saladier ou répartissez-les dans des coupelles individuelles. Arrosez-les d'eau de fleur d'oranger.

- Fouettez les jaunes d'œufs avec le sucre jusqu'à ce que le mélange blanchisse puis versez-le dans une petite casserole. Placez celle-ci dans un récipient plus grand contenant de l'eau chaude pour faire un bain-marie, laissez à feu très doux puis versez progressivement le vin blanc sans cesser de fouetter pendant 5 minutes environ, pour que le mélange épaississe tout en devenant onctueux et mousseux.

- Quand le sabayon coule en ruban des branches du fouet, versez-le sur les quartiers de figue. Servez aussitôt.

Ce dessert peut aussi se manger glacé : après avoir versé le sabayon sur les figues, laissez refroidir, puis mettez au réfrigérateur jusqu'au moment de servir.

POUR 4 PERSONNES

Préparation : 20 min
Cuisson : 10 à 12 min

20 cl de vin doux (muscat)

12 figues de taille moyenne

60 g de beurre ramolli

1 orange non traitée

2 cuill. à soupe de miel

30 g d'amandes pelées

30 g de pignons de pin

1 pincée de cardamome
en poudre

2 cuill. à soupe d'eau de source

Figues rôties au vin doux et à l'orange

- Faites réduire le vin doux de moitié. Rincez et épongez les figues. Équeutez-les et entaillez-les en croix puis ouvrez-les délicatement sans détacher les quartiers de la base. Alignez-les dans un plat à four enduit de 20 g de beurre.

- Lavez l'orange, séchez-la puis prélevez le zeste en bandelettes à l'aide d'un couteau éplucheur. Superposez les bandelettes et taillez-les en fines lanières. Mettez-les dans une casserole d'eau froide, portez à ébullition et laissez frémir pendant 5 minutes. Égouttez et rafraîchissez-les.

- Préchauffez le four à 210 °C (therm. 7).

- Hachez les amandes. Mélangez 40 g de beurre, le miel, les amandes hachées, les pignons et la cardamome. Répartissez la préparation au cœur des figues. Versez le vin réduit, l'eau de source et les zestes d'orange dans le fond du plat.

- Enfournez le plat pendant 10 à 12 minutes en arrosant plusieurs fois les figues de jus.

- Servez tiède avec une quenelle de glace aux calissons ou au nougat.

Optez pour un miel de qualité : agrume ou acacia délicatement parfumé, ou châtaignier au goût plus prononcé.

Préparation : 25 min
Cuisson : 30 min

2 petites poires williams

le jus de 1/2 citron

120 g de semoule de millet
(ou millet décortiqué)

20 cl d'eau

60 g de sucre en poudre

1 cuill. à café de zeste finement
râpé de citron non traité

1 l de lait demi-écrémé

Entremets de millet aux poires

- Pelez les poires au couteau éplucheur et coupez-les en deux. Retirez le cœur et les pépins, détaillez la chair en tranches de 1 cm d'épaisseur et citronnez-les au fur et à mesure pour éviter qu'elles ne noircissent. Si vous utilisez du millet décortiqué, rincez-le rapidement à l'eau fraîche et égouttez-le.

- Versez l'eau dans une casserole avec 10 g de sucre et le zeste de citron, mélangez et portez à ébullition. Baissez ensuite le feu, ajoutez les tranches de poire, couvrez et faites cuire doucement 10 minutes. Sortez les tranches de poire avec une écumoire, égouttez-les bien. Réservez 2 ou 3 tranches et recoupez le reste en dés.

- Faites bouillir le lait dans une casserole. Versez le millet dans le lait bouillant, laissez l'ébullition reprendre puis baissez le feu et faites cuire à petits frémissements pendant 20 minutes en remuant régulièrement.

- Retirez la casserole du feu, ajoutez le reste de sucre et mélangez. Incorporez les dés de poire en remuant délicatement pour bien les répartir dans le mélange lait-millet.

- Versez l'entremets dans une grande coupe en décorant le dessus avec les lamelles de poire réservées et mettez au réfrigérateur.

- Servez bien frais.

POUR 4 À 6 PERSONNES

Préparation : 15 min
Cuisson: 5 à 10 min

2 citrons

1 kg de poires williams

1 l d'eau

500 g de sucre en poudre

1 gousse de vanille

Poires williams au sirop vanillé

- Pressez le jus des citrons et versez-le dans le saladier. Pelez les poires et disposez-les dans le saladier : le citron les empêchera de noircir.

- Mettez dans une casserole l'eau, le sucre, la gousse de vanille fendue et grattée, les poires et le jus de citron. Portez à ébullition. Laissez frémir pendant 5 à 10 minutes. Avant de retirer du feu, vérifiez la cuisson des poires en les transperçant avec un couteau : il doit y entrer sans résistance.

- Versez le tout dans un saladier. Couvrez avec une petite assiette pour que les poires baignent bien dans le sirop et mettez la préparation au réfrigérateur.

POUR 6 PERSONNES

Préparation : 20 min
Cuisson : 35 à 40 min

350 g de pâte brisée

6 demi-poires au sirop
(en conserve)

sucre glace

POUR LA CRÈME FRANGIPANE

60 g de beurre

1 petit œuf

60 g de sucre en poudre

80 g d'amandes en poudre

Tarte aux poires

- Préparez la pâte brisée (recette p. 61) ou faites-la décongeler si vous l'utilisez surgelée. Coupez le beurre en morceaux, mettez-le dans une terrine et laissez-le ramollir à température ambiante : il doit être souple pour préparer la crème frangipane. Sortez les demi-poires du sirop et égouttez-les.

- Préchauffez le four à 200 °C (therm. 6-7) et beurrez un moule à tarte ou utilisez du papier sulfurisé pour garnir le moule. Farinez le plan de travail. Étalez la pâte au rouleau à pâtisserie en lui donnant la forme d'un disque un peu plus grand que le moule. Garnissez le moule en appuyant la pâte sur le fond et les parois avec le bout des doigts, puis coupez l'excédent en passant le rouleau à pâtisserie sur le rebord. Piquez le fond avec les dents d'une fourchette et mettez au réfrigérateur.

- Préparez la crème frangipane. Cassez l'œuf dans la terrine contenant le beurre, ajoutez le sucre et fouettez pour obtenir une crème lisse. Incorporez les amandes en poudre et mélangez.

- Étalez les deux tiers de la crème frangipane dans le moule puis disposez les poires en rosace, côté bombé vers le haut, et recouvrez-les du reste de crème. Enfournez et laissez cuire pendant 35 à 40 minutes.

- Sortez la tarte quand les bords commencent à dorer et préchauffez le gril du four. Saupoudrez la surface de sucre glace et glissez la tarte 1 minute sous le gril pour qu'elle colore. Laissez tiédir un peu et démoulez.

- Servez froid.

POUR 4 PERSONNES

Préparation : 10 min
Repos : 1 h
Cuisson : 25 à 30 min

4 grosses pommes golden

50 g de sucre en poudre

beurre pour le moule

**POUR LA PÂTE BRISÉE
(ENVIRON 400 G)**

125 g de beurre

250 g de farine

1/2 cuill. à café de sel fin

2 cuill. à soupe de sucre en
poudre (facultatif)

4 ou 5 cuill. à soupe
d'eau très froide (ou de lait)

Tarte aux pommes rapide

- Préparez la pâte brisée. Coupez le beurre en très petits morceaux, et laissez-le ramollir à température ambiante. Versez la farine dans un saladier et creusez un puits au milieu. Ajoutez-y le sucre, le sel puis les morceaux de beurre. Malaxez rapidement les ingrédients en effritant le mélange du bout des doigts. Ajoutez progressivement juste assez d'eau (ou de lait) pour amalgamer l'ensemble et travaillez rapidement la pâte, qui doit être souple, pas trop molle, et qui ne doit pas coller. Rassemblez-la et formez une boule. Enveloppez-la dans un linge ou un film plastique et laissez-la reposer au réfrigérateur pendant au moins 1 h.

- Pendant ce temps, épluchez les pommes, coupez-les en quartiers, enlevez les pépins. Mettez les quartiers dans un saladier. Saupoudrez de sucre et mélangez.

- Préchauffez le four à 220 °C (therm. 7-8).

- Farinez très légèrement le plan de travail, posez-y la boule de pâte, puis aplatissez-la en l'écrasant avec la paume de la main mais sans la pétrir. Étalez-la ensuite avec le rouleau à pâtisserie légèrement fariné. Garnissez un moule beurré de 26 cm de diamètre.

- Rangez les pommes sur le fond de tarte et enfournez pour 25 à 30 minutes.

- Servez tiède ou froid.

4 figues sèches

30 g de pistaches

50 g de raisins secs

7 cl de rhum

1 citron

3 pommes

40 g de chapelure

beurre pour les plats

1/2 cuill. à café
de cannelle en poudre

40 g d'amandes en poudre

Gratin de pommes aux fruits secs

- Hachez grossièrement les figues et les pistaches, mettez-les dans une jatte avec les raisins, versez le rhum et laissez les fruits macérer pendant 1 heure.

- Pressez le jus du citron et versez-le dans une autre jatte. Pelez les pommes et râpez-les dans cette jatte. Mélangez bien avec le jus de citron pour les empêcher de noircir.

- Préchauffez le four à 200 °C (therm. 6-7).

- Réunissez le contenu des deux jattes, ajoutez la chapelure et mélangez.

- Beurrez quatre plats à œufs en porcelaine, répartissez-y les fruits, saupoudrez-les avec la cannelle et les amandes en poudre. Enfournez pour faire gratiner pendant 10 minutes.

- Servez tiède ou froid.

6 œufs

2 pommes

le jus de 1/2 citron

15 g de beurre

150 g de sucre en poudre

sel

Omelette soufflée aux pommes

- Cassez les œufs en séparant les blancs des jaunes dans deux saladiers différents. Pelez les pommes, coupez-les en quartiers, retirez le cœur et les pépins. Arrosez-les aussitôt de jus de citron pour éviter qu'elles ne noircissent.

- Mettez 10 g de beurre à fondre dans une grande poêle à revêtement antiadhésif. Faites-y dorer les quartiers de pomme 1 ou 2 minutes de chaque côté en les saupoudrant de 2 cuillerées à soupe de sucre. Réservez-les.

- Préchauffez le four à 180 °C (therm. 6) et enduisez de beurre un plat à gratin ovale.

- Fouettez vivement les jaunes et le reste de sucre jusqu'à ce que le mélange blanchisse et augmente légèrement de volume. Dans l'autre saladier, fouettez les blancs en neige ferme avec 1 pincée de sel puis incorporez-les délicatement aux jaunes battus.

- Versez la préparation dans le plat à gratin en formant un dôme, enfournez et faites cuire 5 minutes.

- Sortez rapidement le plat du four et répartissez les quartiers de pomme en surface. Remettez à cuire pendant 15 minutes environ, jusqu'à ce que la surface soit bien dorée.

- Servez à la sortie du four, dans le plat de cuisson, accompagné d'un coulis de fruits rouges bien froid.

Préparation : 20 min
Cuisson : 20 à 30 min

beurre pour le plat

6 belles pommes à cuire
(reinettes ou belles de
Boscoop)

6 cuill. à café de raisins secs

6 cuill. à café de marmelade
d'orange (ou de citron)

3 cuill. à soupe
de crème fraîche

60 g de sucre en poudre

Pommes au four comme ma grand-mère

- Préchauffez le four à 200 °C (therm. 6-7) et beurrez largement un plat à gratin. Coupez très légèrement la base des pommes pour qu'elles restent droites quand on les pose. Tranchez le haut des fruits de manière à former un couvercle. Creusez l'intérieur des pommes pour enlever les pépins.

- Mélangez les raisins secs, la marmelade, la crème fraîche et le sucre dans un bol.

- Rangez les pommes dans le plat beurré. Remplissez la cavité des fruits du mélange aux raisins secs, replacez les chapeaux et versez 2 cuillerées à soupe d'eau dans le fond du plat. Enfournez et faites cuire pendant 20 à 30 minutes selon la consistance des pommes, en veillant à ce qu'elles ne s'écrasent pas.

- Servez à la sortie du four, dans le plat de cuisson, avec un bol de crème fraîche.

2 cuill. à soupe de raisins secs
(Corinthe ou Smyrne)

2 cuill. à soupe de rhum

1,5 kg de pommes (reinettes)

beurre pour le plat

1/2 cuill. à café
de cannelle en poudre

POUR LA PÂTE

90 g de beurre

125 g de farine

80 g de sucre en poudre

1 pincée de sel

Crumble aux pommes

- Mélangez les raisins secs et le rhum dans un bol et laissez macérer au moins 30 minutes.

- Préparez la pâte. Coupez le beurre en petits morceaux dans un saladier et laissez-le ramollir à température ambiante. Ajoutez la farine, le sucre et le sel, puis mélangez du bout des doigts jusqu'à l'obtention d'une pâte très granuleuse.

- Préchauffez le four à 150 °C (therm. 5) et beurrez largement un plat à gratin. Épluchez les pommes, coupez-les en quatre, retirez le cœur et les pépins. Recoupez les quartiers en tranches épaisses, puis rangez celles-ci dans le plat beurré.

- Répartissez les raisins égouttés, saupoudrez avec la cannelle et recouvrez les fruits de pâte.

- Enfournez et laissez cuire pendant environ 45 minutes en surveillant la coloration de la surface.

- Servez très chaud dans le plat de cuisson, avec un bol de crème fraîche.

Vous pouvez aussi remplacer le sucre en poudre par de la cassonade, qui donne un goût plus marqué.

POUR 6 PERSONNES

Préparation : 40 min
Cuisson : 30 min
Repos : 1 h

500 g de pommes à chair ferme

95 g de beurre

150 g de sucre en poudre

150 g de crème fraîche

POUR LA PÂTE

250 g de farine

2 cuill. à soupe
de sucre en poudre

1 grosse pincée de sel fin

100 g de beurre

Tarte Tatin

- Préparez la pâte. Dans une terrine, versez 200 g de farine. Ajoutez le sucre et le sel, puis le beurre coupé en petits morceaux. Mélangez le tout à la farine, du bout des doigts. Puis versez 10 cl d'eau en remuant énergiquement avec une cuillère en bois. La pâte ne doit pas être collante. Faites-en une boule et farinez-la. Laissez reposer au frais 1 heure environ.

- Pendant ce temps, pelez les pommes. Coupez-les en tranches épaisses. Retirez le cœur et les pépins. Coupez 75 g de beurre en morceaux.

- Beurrez largement un moule à tarte de 22 cm de diamètre. Saupoudrez le fond de 75 g de sucre. Disposez-y les tranches de pomme et versez le reste de sucre en pluie. Répartissez les noisettes de beurre par-dessus.

- Préchauffez le four à 180 °C (therm. 6).

- Farinez un plan de travail. Travaillez la pâte de la paume de la main. Puis farinez le rouleau à pâtisserie et abaissez la pâte sur 4 mm d'épaisseur. Découpez un disque de pâte d'un diamètre supérieur de 4 mm à celui du moule. Recouvrez le dessus des pommes avec le disque de pâte en le rabattant tout autour de façon à bien envelopper les fruits.

- Faites caraméliser la tarte en posant le moule directement sur le feu. Laissez cuire environ 3 minutes à feu vif. Enfournez et faites cuire pendant 30 minutes.

- Sortez la tarte du four et retournez-la sur un plat. Les pommes caramélisées doivent se trouver sur le dessus.

- Servez encore tiède. Versez la crème fraîche par-dessus ou servez-la à part.

POUR 6 PERSONNES

Préparation : 15 min
Cuisson : 1 h environ

200 g de beurre

800 g de quetsches
(ou d'autres prunes)

200 g de sucre en poudre

4 œufs

250 g de farine

1 cuill. à café
de levure chimique

2 cuill. à soupe de sucre glace

Gâteau moelleux aux prunes

- Coupez le beurre en petits morceaux, mettez-le dans une jatte et laissez-le ramollir à température ambiante.

- Rincez les prunes à l'eau fraîche et essuyez-les délicatement. Coupez-les en deux et retirez les noyaux. Préchauffez le four à 180 °C (therm. 6) et beurrez largement un moule à manqué de 24 cm de diamètre.

- Versez le sucre dans la jatte contenant le beurre et travaillez le mélange avec une spatule en bois jusqu'à ce qu'il soit souple et homogène. Ajoutez les œufs un à un, en amalgamant bien chaque fois que vous en introduisez un. Incorporez ensuite progressivement la farine en la saupoudrant au-dessus du mélange et en remuant au fur et à mesure. Ajoutez enfin la levure chimique.

- Versez la pâte dans le moule, lissez la surface et rangez les prunes dessus : elles vont s'enfoncer pendant la cuisson. Enfournez et faites cuire pendant environ 1 heure.

- Quand la surface est bien dorée, vérifiez la cuisson en piquant la pointe d'un couteau dans la pâte : elle doit ressortir sèche. Sortez le gâteau du four et laissez-le tiédir avant de le démouler. Saupoudrez de sucre glace.

- Servez tiède ou froid.

POUR 4 PERSONNES

Préparation : 15 min
Cuisson : 1 h environ

600 g de quetsches
mûres mais fermes

1/2 citron non traité

50 g d'écorce de citron confite

15 g de gingembre frais

75 g de sucre en poudre

Compote de quetsches au gingembre

- Rincez les quetsches à l'eau, essuyez-les, puis coupez-les en deux et retirez les noyaux. Mettez les fruits dans un faitout et faites-les cuire à feu moyen, en remuant fréquemment, pendant 30 minutes environ, pour qu'ils soient bien ramollis.

- Lavez le citron en le brossant sous l'eau froide, essuyez-le et prélevez le zeste au couteau éplucheur. Hachez-le finement ainsi que l'écorce de citron confite. Pelez et émincez le gingembre.

- Ajoutez le sucre, le zeste de citron, l'écorce confite et le gingembre dans le faitout. Poursuivez la cuisson à feu doux encore 30 minutes environ pour que la compote réduise. Remuez souvent car elle attache facilement.

- Retirez du feu, versez dans un compotier et laissez refroidir avant de mettre au réfrigérateur.

Pour obtenir une compote plus fine, on peut passer les quetsches au moulin à légumes (grille fine) après la première cuisson, avant d'ajouter les épices.

POUR 4 PERSONNES

Préparation : 20 min
Cuisson : 20 à 25 min

2 gousses de vanille

500 g de raisin blanc

400 g de pommes

2 cuill. à soupe d'eau

10 cl de vin blanc

1 cuill. à café de miel épais

4 feuilles de brik

Aumônières aux raisins

- Fendez les gousses de vanille en deux dans leur longueur. Lavez et égrappez le raisin. Épluchez les pommes en retirant le cœur et les pépins, puis coupez la chair en cubes. Mettez ceux-ci dans une casserole avec l'eau et la vanille, couvrez et faites cuire 10 minutes sur feu moyen.

- Préchauffez le four à 200 °C (therm. 6-7).

- Dans une casserole assez large, mettez le vin blanc, le miel et les grains de raisin. Couvrez et faites cuire sur feu vif 3 ou 4 minutes. Égouttez ensuite les grains de raisin dans une passoire en récupérant le jus dans une casserole. Portez celui-ci à ébullition et faites-le réduire jusqu'à ce que vous en obteniez la valeur de 2 cuillerées à soupe.

- Ôtez les gousses de la casserole de compote de pomme et grattez-en l'intérieur au-dessus de celle-ci, ajoutez le jus de raisin réduit et remettez sur feu vif 2 ou 3 minutes, en mélangeant.

- Répartissez la compote au centre des feuilles de brik, déposez les grains de raisin sur le dessus, puis rassemblez les bords de façon à former un ballotin. Utilisez ensuite les gousses de vanille pour ficeler les ballotins. Rangez ceux-ci sur un plat et enfournez-les pendant 3 ou 4 minutes.

- Servez aussitôt.

POUR 6 À 8 PERSONNES

Préparation : 35 min
Repos : 1 h
Cuisson : 40 min

500 g de raisin blanc

3 œufs

100 g de sucre en poudre

25 cl de crème fraîche

25 cl de lait

10 cl de kirsch

**POUR LA PÂTE SABLÉE
(ENVIRON 500 G)**

1 œuf entier

125 g de sucre en poudre

250 g de farine

125 g de beurre

sel

parfum au choix
(zeste de citron, vanille, rhum)

Tarte au raisin frais

- Préparez la pâte sablée. Cassez les œufs entiers dans une terrine et battez-les. Ajoutez 1 grosse pincée de sel et le sucre. Travaillez le mélange avec une spatule jusqu'à ce qu'il soit mousseux et jaune pâle. Tamisez la farine et ajoutez-la d'un seul coup dans la terrine avec le parfum choisi pour la pâte. Mélangez à la spatule. Prenez la pâte par poignées dans la paume de la main et écrasez-la entre vos doigts. Elle ne doit pas faire corps, mais s'effriter en petits grains. Versez ce « sable » sur le plan de travail fariné et incorporez le beurre en pétrissant légèrement. La pâte ne doit pas coller aux doigts mais former une boule. Laissez celle-ci reposer 1 heure au réfrigérateur.

- Lavez et égrenez le raisin blanc.

- Préchauffez le four à 200 °C (therm. 6-7).

- Étalez la pâte sur 3 mm d'épaisseur et garnissez-en un moule à tarte beurré de 24 cm de diamètre ; piquez le fond à la fourchette en plusieurs endroits. Rangez les grains de raisin par-dessus en les serrant bien les uns contre les autres et enfournez pour 10 minutes.

- Dans une terrine, mélangez les œufs et le sucre puis, quand la préparation blanchit, ajoutez la crème fraîche. Battez bien au fouet et arrosez peu à peu avec le lait, puis avec le kirsch.

- Sortez la tarte du four, versez-y la crème puis poursuivez la cuisson pendant 30 minutes. Laissez refroidir puis démoulez.

75 cl de lait

3 œufs entiers
+ 10 jaunes d'œufs

400 g de sucre en poudre

25 cl de jus d'ananas

2 tranches d'ananas

Flan à l'ananas

- Versez le lait dans une casserole. Portez-le à ébullition, sortez du feu et laissez refroidir. Dans une jatte, cassez les œufs entiers et ajoutez les jaunes. Battez-les à l'aide d'un fouet. Ajoutez 300 g de sucre tout en continuant de fouetter jusqu'à ce que le mélange blanchisse et devienne mousseux. Versez peu à peu le lait puis le jus d'ananas sans cesser de remuer jusqu'à obtenir une crème onctueuse et homogène.

- Préchauffez le four à 180 °C (therm. 6).

- Préparez un caramel. Versez le reste du sucre et 6 cuillerées à soupe d'eau dans une casserole. Portez à ébullition et laissez cuire jusqu'à obtenir un caramel brun clair. Versez le caramel dans un moule à cake et faites pivoter celui-ci sur lui-même pour bien le chemiser sur toutes ses faces.

- Versez la crème dans le moule. Mettez ce moule dans un autre moule haut, de taille supérieure. Versez de l'eau à mi-hauteur entre les deux moules de manière à faire un bain-marie. Enfournez et laissez cuire environ 1 heure. Vérifiez la cuisson à la pointe d'un couteau. Celle-ci doit ressortir nette et sèche.

- Sortez le flan du four et laissez-le refroidir. Démoulez-le sur un plat de service. Si nécessaire, servez-vous d'un couteau légèrement mouillé que vous passerez le long des parois du moule. Coupez chaque tranche d'ananas en quatre. Répartissez les morceaux sur le dessus du flan pour le décorer.

Ce dessert se déguste très frais. Pour la décoration, vous ajouterez des cerises confites, des éclats d'angélique ou encore des feuilles de menthe fraîches.

POUR 8 PERSONNES

Préparation : 30 min
Réfrigération : 1 h

1 bel ananas bien mûr

le jus de 1 citron vert

2 mangues

4 kiwis

3 cuill. à soupe de sucre vanillé

2 cuill. à soupe de rhum
(facultatif)

Ananas en surprise à la créole

- Choisissez un ananas de forme bien régulière. Coupez-le en deux dans le sens de la hauteur en laissant les feuilles, de sorte que chaque moitié d'ananas conserve la moitié du plumet.

- Creusez l'ananas : avec un couteau pointu, évidez chaque moitié d'ananas en laissant une épaisseur de chair sur l'écorce d'environ 1 cm. Retirez la partie dure du cœur, coupez la pulpe obtenue en dés réguliers et recueillez le jus qui s'en écoule. Mettez le jus et les dés de pulpe dans un saladier.

- Pressez le citron. Pelez les mangues et les kiwis. Détaillez également la chair de ces fruits en dés. Mettez les dés dans le saladier avec l'ananas. Ajoutez le sucre vanillé, le jus de citron et, éventuellement, le rhum. Mélangez délicatement.

- Garnissez chaque moitié d'ananas de salade de fruits. Couvrez avec une feuille d'aluminium et mettez à macérer au réfrigérateur pendant au moins 1 heure.

- Servez très frais avec un bol de lait de coco glacé.

Préparation : 30 min
Cuisson : 30 min

100 g de beurre

50 g de cassonade

4 tranches d'ananas au sirop

quelques cerises au sirop

75 g de sucre en poudre

1 œuf

125 g de farine tamisée

5 cl de lait

extrait de vanille

Gâteau renversé à l'ananas

- Malaxez 50 g de beurre et la cassonade en crème. Étalez le mélange ainsi obtenu sur les bords intérieurs et sur le fond d'un moule rond.

- Disposez les tranches d'ananas sur la crème, au fond du moule. Décorez avec les cerises.

- Malaxez le reste du beurre avec le sucre en poudre, dans une terrine. Ajoutez l'œuf, en battant bien. Incorporez la farine et le lait, parfumez avec quelques gouttes d'extrait de vanille.

- Préchauffez le four à 180 °C (therm. 6).

- Versez la pâte régulièrement dans le moule, par-dessus les fruits. Faites cuire pendant environ 30 minutes.

- Laissez le gâteau refroidir dans le moule. Démoulez avant de servir, les fruits devant apparaître sur le dessus.

Pour démouler plus facilement, glissez une lame de couteau entre le gâteau et le moule.

Vous pouvez accompagner ce gâteau d'une crème anglaise ou d'une glace à la vanille.

POUR 4 PERSONNES

Préparation : 10 min
Cuisson : 5 min environ

4 bananes

30 g de beurre doux

50 g de beurre demi-sel

1/4 de cuill. à café
de cumin en poudre

1/4 de cuill. à café
de poivre moulu

1 pincée
de noix de muscade râpée

100 g de sucre glace

Purée de banane aux épices

- Épluchez les bananes en prenant soin de retirer tous les filaments blancs qui restent. Coupez-les en deux dans le sens de la longueur. Faites fondre doucement le beurre doux dans la poêle. Posez les bananes sur le côté plat et laissez-les dorer pendant environ 5 minutes en les retournant une ou deux fois.

- Pendant ce temps, faites fondre le beurre demi-sel dans un bol (au bain-marie ou au four à micro-ondes).

- Sortez délicatement les bananes cuites de la poêle et mettez-les dans un récipient haut en les recoupant au fur et à mesure en gros morceaux. Ajoutez le jus de cuisson, le beurre demi-sel fondu, le cumin, le poivre, la noix de muscade, et mixez l'ensemble jusqu'à ce que le mélange soit bien mousseux. Ajoutez alors le sucre glace, remuez bien et versez cette purée dans un petit saladier.

Tiède ou froid vous pouvez servir ce dessert en accompagnement d'un jambon blanc braisé, par exemple.

1/2 citron vert

2 cuill. à soupe
de sucre en poudre

4 bananes

30 g de beurre

1 cuill. à soupe de miel liquide

6 cuill. à soupe de lait de coco

1/4 de cuill. à café
de gingembre moulu

1 cuill. à café
de cannelle en poudre

2 cuill. à soupe
de noix de coco râpée
(facultatif)

Bananes poêlées au lait de coco

- Prélevez le zeste du citron en fines lanières. Pressez le citron et récupérez le jus. Plongez le zeste pendant 5 minutes dans une petite casserole d'eau bouillante puis égouttez-le. Versez ensuite 10 cl d'eau et le sucre dans la casserole. Portez doucement à ébullition en remuant jusqu'à ce que le sucre soit complètement dissous, puis ajoutez le zeste et laissez cuire pendant 5 minutes à feu doux. Égouttez à nouveau et réservez.

- Épluchez les bananes en prenant soin de retirer tous les filaments blancs qui restent. Coupez-les en deux dans le sens de la longueur. Faites fondre le beurre à feu moyen dans la poêle. Posez les moitiés de banane sur le côté plat et laissez-les dorer pendant environ 5 minutes en les retournant une ou deux fois. Pendant ce temps, faites chauffer un plat de service.

- Sortez délicatement les bananes et disposez-les sur le plat chaud.

- Laissez la poêle sur le feu, ajoutez d'abord le miel puis le lait de coco, le jus de citron et les épices. Mélangez bien et faites cuire cette sauce à forte ébullition quelques instants pour qu'elle se concentre et épaississe un peu.

- Nappez les bananes de sauce et saupoudrez-les de noix de coco râpée. Décorez le plat avec les lanières de zeste de citron. Servez aussitôt.

Vous pouvez accompagner chaque portion de ce dessert d'une boule de sorbet à la noix de coco.

POUR 6 PERSONNES

Préparation : 30 min
Cuisson : 10 min environ
Réfrigération : 4 h

4 citrons

6 œufs

100 g de sucre en poudre

50 cl de crème fraîche liquide

100 g de sucre glace

1 pincée de sel

Mousse au citron

- Brossez soigneusement les citrons sous l'eau froide, puis essuyez-les. Frottez-les de tous côtés sur une râpe fine et récupérez le zeste. Coupez-les en deux, pressez-les et versez le jus dans une casserole. Séparez les blancs des jaunes d'œufs et mettez-les dans deux saladiers différents.

- Mettez le sucre et les zestes râpés dans une casserole et portez doucement à ébullition. Aux premiers bouillons, retirez la casserole du feu et versez son contenu sur les jaunes d'œufs en fouettant vivement. Remettez le mélange dans la casserole et chauffez très doucement sans cesser de remuer jusqu'à ce que cette crème épaississe. Arrêtez le feu et laissez refroidir.

- Fouettez la crème fraîche en chantilly bien ferme jusqu'à ce qu'elle adhère aux branches du fouet. Ajoutez le sucre glace, mélangez bien et incorporez le tout délicatement à la crème au citron.

- Battez les blancs d'œufs en neige ferme avec la pincée de sel. Incorporez-les avec précaution à la préparation précédente, en soulevant bien la masse pour ne pas les briser.

- Versez dans une coupe ou dans des coupelles individuelles et mettez au réfrigérateur pendant environ 4 heures.

- Servez bien frais.

soufflé au citron

6 citrons non traités

30 cl de lait

40 g de farine

100 g de beurre

100 g de sucre en poudre

6 blancs d'œufs

5 jaunes d'œufs

- Prélevez le zeste de 4 citrons et hachez-le très finement : vous devez avoir l'équivalent de 2 cuillères à soupe.

- Pressez le jus des 2 autres citrons.

- Mettez le lait à chauffer. Tamisez la farine.

- Travaillez le beurre en pommade dans une autre casserole. Ajoutez 60 g de sucre et la farine tamisée, puis versez le lait bouillant en mélangeant vigoureusement. Portez à ébullition pendant 1 minute en continuant de remuer et faites dessécher le mélange comme une pâte à choux.

- Préchauffez le four à 200 °C (therm. 6-7).

- Montez les blancs en neige ferme en y ajoutant au fur et à mesure 40 g de sucre.

- Hors du feu, ajoutez à la pâte : le jus des citrons, les 5 jaunes d'œufs puis les blancs montés en neige et le zeste de citron haché en mélangeant bien entre chaque ingrédient ajouté pour qu'il soit parfaitement incorporé.

- Beurrez et sucrez six petits moules à soufflé et faites cuire pendant 40 minutes au bain-marie dans le four.

POUR 4 PERSONNES

Préparation : 20 min
Cuisson : 15 min

2 grosses pommes golden

15 dattes sèches

1 cuill. à café de miel d'acacia

1 gousse de vanille

le jus de 2 oranges

5 graines de cardamome

1 cuill. à café
d'eau de fleur d'oranger

Émincé de datte aux pommes

- Épluchez les pommes et coupez-les en quartiers puis en petits cubes. Dénoyautez les dattes et émincez-les.

- Versez le miel dans une poêle à revêtement antiadhésif. Ajoutez les morceaux de pomme et laissez cuire pendant 10 minutes en remuant constamment. Fendez la gousse de vanille en deux, récupérez les graines et dispersez-les sur les pommes. Ajoutez la moitié des dattes émincées et poursuivez la cuisson pendant 5 minutes.

- Dans une petite casserole, faites chauffer doucement le jus d'orange, ajoutez la cardamome écrasée et laissez infuser 10 minutes. Filtrez, ajoutez l'eau de fleur d'oranger et le reste des dattes. Mixez le mélange et filtrez ce coulis à l'aide d'un chinois.

- Sur une assiette, remplissez un cercle sans fond d'émincé de datte aux pommes, ôtez le cercle et garnissez l'assiette de coulis.

- Servez tiède.

8 grosses mandarines
(ou 12 clémentines)

4 jaunes d'œufs

4 cuill. à soupe
de sucre en poudre

1 cuill. à soupe
de Grand Marnier

Gratins de mandarine (ou de clémentine)

- Coupez en deux 4 mandarines (ou 6 clémentines), pressez-les et récupérez le jus. Filtrez-le à travers une passoire fine pour retenir la pulpe et les pépins. Réservez-en 20 cl.

- Épluchez les autres mandarines (ou clémentines), séparez les quartiers et pelez-les à vif en supprimant la fine membrane qui les enveloppe. Disposez-les en rosace dans quatre moules à gratin.

- Préchauffez le gril du four.

- Mélangez les jaunes d'œufs, le sucre, le Grand Marnier et le jus de mandarine (ou de clémentine) dans une petite casserole et placez celle-ci dans un récipient plus grand contenant de l'eau chaude pour faire un bain-marie.

- Chauffez doucement le mélange sans cesser de fouetter, jusqu'à ce qu'il devienne onctueux et mousseux. Quand il coule comme un ruban des branches du fouet, versez-le sur les quartiers de fruit.

- Glissez les moules dans le four et laissez-les gratiner 1 ou 2 minutes, jusqu'à ce que la surface soit juste dorée.

- Servez aussitôt.

250 g de sucre en morceaux

17 mandarines non traitées

70 g de sucre en poudre

sorbet
à la mandarine

- Frottez le sucre en morceaux avec le zeste des mandarines. Veillez à choisir des fruits non traités.
- Dans une casserole, faites bouillir 10 cl de l'eau avec ce sucre en morceaux parfumé, puis ajoutez le sucre en poudre.
- Pressez les mandarines : vous devez avoir 700 g de jus.
- Versez le jus dans le sirop et mélangez bien.
- Laissez complètement refroidir avant de mettre à tourner dans une sorbetière.

Vous pouvez réaliser de la même façon un sorbet à l'orange en respectant les mêmes proportions (prévoyez environ 9 fruits non traités).

POUR 6 PERSONNES

Préparation : 30 min
Cuisson : 35 à 40 min

Tarte à l'orange

350 g de pâte brisée

3 grosses oranges

4 petits œufs

150 g de sucre en poudre

50 g de beurre mou

40 g de fécule de maïs

- Préparez la pâte brisée (recette p. 61) et laissez-la reposer, ou faites-la dégeler si vous l'utilisez surgelée.

- Préchauffez le four à 180 °C (therm. 6).

- Beurrez un moule à tarte, ou utilisez du papier sulfurisé pour garnir le moule. Étalez la pâte au rouleau à pâtisserie sur le plan de travail légèrement fariné. Donnez-lui la forme d'un disque un peu plus grand que le moule. Garnissez le moule en appuyant légèrement la pâte sur le fond et les parois avec le bout des doigts, puis coupez l'excédent en passant le rouleau à pâtisserie sur le rebord.

- Pelez les oranges à vif, en retirant toute l'écorce et la peau blanche, de manière à voir apparaître la pulpe. Séparez les quartiers et retirez les pépins. Passez les quartiers d'orange au mixer pour obtenir une purée épaisse.

- Cassez les œufs dans un saladier, ajoutez le sucre, le beurre et la fécule de maïs, et battez au fouet jusqu'à ce que le mélange soit bien lisse. Versez le mélange dans une casserole, ajoutez la purée d'orange et portez à ébullition sans cesser de remuer avec une cuillère en bois. Laissez bouillir 2 ou 3 minutes en continuant à tourner.

- Versez la préparation dans le fond de tarte, enfournez et laissez cuire pendant 35 à 40 minutes, jusqu'à ce que les bords de la tarte soient bien dorés. Sortez du four, laissez tiédir un peu avant de démouler et posez sur une grille.

- Servez froid.

Moelleux à l'orange

POUR LA PÂTE

1 orange non traitée

250 g de beurre mou
(sorti du réfrigérateur
au moins 3 h à l'avance)
+ 1 noix pour le moule

300 g de sucre en poudre

6 œufs

80 g de farine

200 g d'amandes en poudre

4 cuill. à soupe
de liqueur à l'orange

1 cuill. à soupe
de farine pour le moule

POUR LE GLAÇAGE

2 cuill. à soupe
de confiture d'oranges douces

8 cuill. à soupe
de sucre glace

4 cuill. à soupe
de jus d'orange

- Préchauffez le four à 180 °C (therm. 6).

- Lavez et séchez l'orange. Râpez finement son zeste. Réservez l'orange pour le décor.

- Préparez la pâte. Avec une cuillère en bois, travaillez le beurre et le sucre en crème claire et mousseuse. Incorporez les œufs, l'un après l'autre, puis la farine, les amandes en poudre et le zeste d'orange. Ajoutez 2 cuillerées de liqueur.

- Beurrez un moule à manqué de 22 cm de diamètre. Saupoudrez-le de farine. Secouez le moule puis renversez-le afin d'en éliminer l'excédent. Versez la pâte dans le moule. Glissez celui-ci dans le four et laissez cuire 45 minutes.

- Posez une grille à pâtisserie sur une large feuille de papier sulfurisé. À la sortie du four, retournez le biscuit sur la grille. Laissez refroidir.

- Préparez le glaçage. Faites tiédir la confiture puis mixez-la. Tamisez le sucre glace dans un bol. Mélangez la confiture, le sucre glace, le reste de liqueur et juste assez de jus d'orange pour obtenir une crème coulante et lisse.

- Versez-en la moitié au centre du biscuit. Étalez le glaçage sur le dessus et les bords du gâteau. Récupérez le glaçage tombé sur la feuille de papier. Laissez sécher pendant 5 minutes, puis répétez l'opération avec le reste du glaçage. Gardez le biscuit à température ambiante.

- Pelez l'orange à vif. Détachez les quartiers des membranes qui les séparent. Décorez-en le gâteau.

POUR 4 PERSONNES

Préparation : 30 min
Réfrigération : 1 h

6 feuilles de gélatine

6 oranges

150 g de sucre en poudre

15 cl d'eau

50 cl de jus d'orange

2 cuill. à soupe
de Grand Marnier (facultatif)

Aspics d'orange

- Coupez les feuilles de gélatine en morceaux et faites-les tremper dans un bol d'eau froide. Épluchez les oranges à vif, c'est-à-dire en retirant toute l'écorce et la peau blanche de façon à voir apparaître la pulpe. Séparez les quartiers, puis enlevez complètement la membrane transparente qui les enveloppe. Retirez les pépins.

- Versez le sucre et l'eau dans une petite casserole et chauffez doucement en remuant à l'aide d'une cuillère en bois, jusqu'à ce que le sucre soit complètement dissous. Portez à ébullition puis arrêtez le feu.

- Égouttez les feuilles de gélatine et pressez-les bien entre les doigts. Mettez-les dans le sirop chaud et remuez pour les faire fondre. Ajoutez le jus d'orange, le Grand Marnier si vous en mettez, et mélangez bien.

- Nappez le fond de quatre petits moules individuels d'une couche de sirop à l'orange et mettez au freezer 10 minutes, jusqu'à ce que le sirop prenne en gelée.

- Répartissez les quartiers d'orange dans les moules en les disposant sur la couche de gelée, puis versez assez de sirop à l'orange par-dessus pour remplir les moules. Laissez refroidir et mettez au réfrigérateur pendant au moins 1 heure. Pour démouler les aspics, trempez rapidement les moules dans de l'eau très chaude et retournez-les sur des petites assiettes.

- Servez bien frais.

2 pamplemousses roses

8 cuill. à soupe
de sucre en poudre

20 g de beurre

Pamplemousses grillés caramélisés

- Préchauffez le gril du four. Coupez les pamplemousses en deux dans l'épaisseur. Avec un couteau à pamplemousse, séparez la pulpe de l'écorce sans la sortir. Divisez les quartiers en les détachant des membranes avec la pointe d'un petit couteau.

- Rangez les demi-pamplemousses dans un plat à four et saupoudrez-les largement de sucre. Répartissez en surface le beurre coupé en petits morceaux.

- Glissez le plat sous la résistance incandescente et laissez griller 2 ou 3 minutes en surveillant attentivement la cuisson. Quand le sucre caramélise, sortez le plat du four.

- Servez sans attendre.

POUR 4 PERSONNES

Préparation : 30 min
Cuisson : 10 min

2 pomelos rouges

2 grosses oranges

10 cl de jus d'orange filtré

2 cuill. à soupe
de liqueur à l'orange

4 jaunes d'œufs

60 g de sucre en poudre

2 cuill. à soupe de cassonade

1 pincée de poudre de cannelle

1 pincée
de poudre de gingembre

1 pincée de poivre blanc moulu

Quartiers d'agrumes en sabayon épicé

- Pelez les pomelos et les oranges à vif. Passez le couteau de part et d'autre des cloisons qui séparent les quartiers, détachez ceux-ci et retirez les pépins. Mettez-les au frais.

- Préparez un bain-marie frémissant dans une casserole. Dans une autre casserole, plus petite, battez les jaunes d'œufs avec le sucre en poudre jusqu'à ce que le mélange blanchisse. Incorporez les épices.

- Placez la casserole dans le bain-marie. Continuez de fouetter vivement tout en incorporant le jus d'orange. Battez jusqu'à ce que la crème soit onctueuse. Retirez la casserole de l'eau. Continuez de fouetter pendant 30 secondes, puis incorporez la liqueur à l'orange.

- Allumez le gril du four.

- Répartissez le sabayon dans des petits plats individuels. Épongez les tranches d'agrumes avec du papier absorbant et enfoncez-les dans le sabayon en alternant les couleurs.

- Saupoudrez d'un voile de cassonade. Glissez les petits gratins sous le gril le temps de dorer le dessus.

- Servez aussitôt.

Table des équivalences France-Canada

POIDS

55 g	2 onces	200 g	7 onces	500 g	17 onces
100 g	3 onces	250 g	9 onces	750 g	26 onces
150 g	5 onces	300 g	10 onces	1 kg	35 onces

Ces équivalences permettent de calculer, à quelques grammes près, le poids (en réalité, 1 once = 28 g)

CAPACITÉS

25 cl	1 tasse	75 cl	3 tasses
50 cl	2 tasses	1 l	4 tasses

Pour faciliter la mesure des capacités, une tasse équivaut ici à 25 cl (en réalité, 1 tasse = 8 onces = 23 cl)

Direction éditoriale : Colette Hanicotte
Coordination éditoriale : Ewa Lochet
Direction artistique : Emmanuel Chaspoul, assisté de Jacqueline Bloch, Martine Debrais et Cynthia Savage
Conception graphique : Jacqueline Bloch
Réalisation : Véronique de Fenoÿl
Lecture-correction : Chantal Barbot-Pagès, assistée de Madeleine Biaujeaud
Fabrication : Annie Botrel
Couverture : Anne Jolly, sous la direction de Véronique Laporte
L'Éditeur remercie Cloée Triboulet pour sa participation efficace

Photographies des recettes (© coll. Larousse) : Bagros Yves (stylisme Laurence du Tilly) : pages 55, 95 ; Bertherat Nicolas (stylisme Coco Jobard assistée de Laetitia Schuster) : pages 29, 33, 59, 65, 73, 87, 91 ; Bertherat Nicolas (stylisme Coco Jobard avec la collaboration de Christiane Mèche) : pages 9, 13, 17, 45, 51, 57, 69 ; Czap Daniel (stylisme Marie-Line Salaün) : pages 5, 25, 37, 39, 43, 47, 63, 77, 81, 85 ; Hall Jean-Blaise (stylisme Gilles Poidevin) : page 21.
Photographies des produits : Olivier Ploton © coll. Larousse.
Photographies de la couverture : ht g © J. Hall / Sucré Salé ; ht d © Studio R. Schmitz / Stockfood / Studio X ; bas g © Antje Plewinski / Stockfood / Studio X ; bas d © Damir Begovic / Stockfood / Studio X.
Remerciements des stylistes (pages 9, 13, 17, 18, 45, 51, 53, 57, 61, 69, 77) **:** Gargantua, Ikea, Le Grand Comptoir, Le Printemps de la Maison, Maisons du Monde, Sabre, Zwilling.

© Larousse, 2006

ISBN : 2-03-582354-4

Photogravure AGC, Saint-Avertin – Imprimé en Espagne par Graficas Estella, Estella
Dépôt légal : mars 2006 – 300177/01/11002755 février 2006